Holger Haag und Manfred Rohrbeck

Naturwissen kompakt

Z

D0625606

COPPENRATH

Hallo, Naturfreundin!
Hallo, Naturfreund!

Sie klettern geschickt über die Felsen und finden selbst in der kargsten Gegend noch etwas zu fressen. Bestimmt hast du schon häufiger Ziegen beobachtet. Aber weißt du auch, warum Ziegen so gut klettern können, wie ein Zicklein geboren wird oder was alles aus Ziegenmilch und -wolle gemacht wird? Dein kleines Buch beantwortet dir all diese Fragen. So wirst du ganz schnell zu einem echten Ziegen-Experten!

Viel Spaß
beim Entdecken & Beobachten!

Inhalt

Wie sieht eine Ziege aus?

Wie Rinder, Schafe und Antilopen gehören Ziegen zur Familie der Hornträger. Die Hörner der Böcke, also der Männchen, sind kräftig gebogen und können über einen Meter lang werden. Bei der Geiß, dem Weibchen, sind sie deutlich kleiner und dünner.

Erzgebirgsziege

Bei einigen Rassen wurden die Hörner weggezüchtet. Ein sicheres Kennzeichen ist der Ziegenbart am Kinn, besonders bei den Ziegenböcken. Das Fell einer Ziege ist meist kurz und glatt und hinten hat sie einen nur 10–20 cm langen aufgestellten Schwanz. Ihr Körper ist sehr kräftig und die Hufe eigenen sich prima zum Klettern.

Gämsfarbige Gebirgsziege

Die Sinnesorgane der Ziege

Die Ziege ist ein Fluchttier, deshalb sitzen die Augen seitlich am Kopf und die Pupillen liegen quer. So hat sie fast eine Rundumsicht. Nur wenn es abends dunkler wird, sehen Ziegen nicht mehr so gut. Doch dann können sie sich auf ihre beweglichen Ohren verlassen, die sie nach der Geräuschquelle ausrichten. Auch auf ihre Nase ist Verlass. Neben ihrem normalen Geruchssinn können sie, wie einige andere Tiere, noch mit dem in der Nase sitzenden Jacobsonschen Organ riechen. Das machen sie beim Flehmen. Dabei strecken sie den Kopf nach oben, öffnen etwas das Maul und ziehen die Oberlippe nach oben. Ziegen lieben salzige Sachen, können aber auch süß, sauer und bitter unterscheiden.

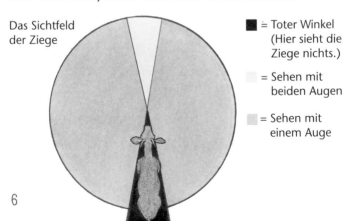

Das Sichtfeld der Ziege

■ = Toter Winkel (Hier sieht die Ziege nichts.)

☐ = Sehen mit beiden Augen

▨ = Sehen mit einem Auge

Wo leben Ziegen?

Hausziegen gibt es, außer in extrem kalten Gebieten, auf der ganzen Welt. Die meisten Ziegen leben aber in trockenen und kargen Gegenden, da sie sehr anspruchslos sind. Sie kommen mit relativ wenig Wasser und Nahrung zurecht. Ursprünglich stammen sie aus den Bergen des Nahen Ostens. So sind sie auch ausgezeichnete Kletterkünstler, die auf den steilsten Hängen herumkraxeln. Sie mögen es am liebsten trocken, denn ihr Fell ist nicht fettig und bei Regen werden sie darum schnell bis auf die Haut nass. Wenn es regnet, suchen sie sich deshalb schnell ein trockenes Plätzchen zum Unterstellen.

Shami-Ziege

9

Wie werden Ziegen gehalten?

Ziegen sind sehr gesellige Tiere und leben gerne in kleinen Herden. Da sie beim Futter anspruchslos sind, werden sie oft in Gebieten gehalten, in denen Schafe oder Rinder nicht zurechtkommen, zum Beispiel in Halbwüsten oder an steilen Hängen in den

Bergen. So gibt es in der Schweiz mehr Rassen als in Deutschland. Da Ziegen ausgezeichnet klettern und springen können, muss der Zaun für eine Ziegenweide mindestens 1,5 Meter hoch sein. Milchziegen werden meist in Ställen gehalten. Die Ställe sollten genug Auslauf haben und am besten auch ein paar Klettermöglichkeiten.

Was frisst eine Ziege?

Gibt es auf der Weide genug Auswahl, ist die Ziege
sehr wählerisch und frisst erst einmal die nährstoff-
reichsten Pflanzen. Dafür läuft die Ziege auch gerne
weite Strecken. Ansonsten frisst sie fast alles, was
nicht giftig ist. Auch vor Disteln und dornigen Bü-
schen schreckt sie nicht zurück. So werden Ziegen
gerne in der Landschaftspflege eingesetzt, weil sie
die Flächen am gründlichsten abfressen. Um an Blät-
ter und frische Knospen heranzukommen, klettern
sie auch schon mal auf einen niedrigen Baum. Im
Stall bekommen sie viel Heu und Stroh. Wie die
Schafe und Kühe gehören sie zu den Wiederkäuern.

Warum können Ziegen so gut klettern?

Ziegen können so gut klettern, weil ihre wilden Vorfahren aus den Bergen stammen. So haben sich ihre Hufe an diese kletternde Lebensweise angepasst. Außen ist der Huf sehr hart, darum können sie sich damit sogar an kleinen Felsvorsprüngen festhaken. Innen ist die Sohle dagegen weich und ledrig, damit sie auf glatten Steinen nicht so leicht ausrutschen. Ihre Beine sind sehr kräftig, damit die Ziegen gut springen können, denn auch das ist in den Bergen lebenswichtig. Weil sich die harten Hufteile im Stall oder auf dem weichen Boden der Weide nicht so schnell abnutzen, müssen alle zwei bis drei Monate die Hufe geschnitten werden, wie bei dir die Fingernägel.

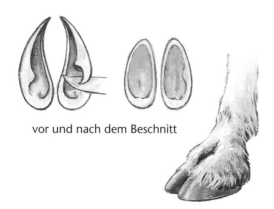

vor und nach dem Beschnitt

Schneeziege

Ein Zicklein wird geboren

Die Tragzeit der Ziegen dauert etwa fünf Monate. In den letzten Wochen brauchen die Ziegen viel Nahrung, weil die Jungen im Bauch dann besonders schnell wachsen. Meist werden die ein bis drei kleinen Zicklein im Frühjahr geboren. Im Stall bekommen die Ziegen kurz vor der Geburt eine eigene Box, damit sie nicht gestört werden. Auch auf der Weide suchen sie sich ein ruhiges Plätzchen. Kurz nach der Geburt werden die Zicklein von ihrer Mutter sauber geleckt. Weil sie Nestflüchter sind, stehen die kleinen Ziegen schnell auf den eigenen Beinen und fangen gleich an zu trinken.

Welche Arten gehören zur Familie der Ziege?

Unsere Hausziegen stammen von der Bezoarziege ab, die in den Bergen Vorderasiens lebt. Ihre nächsten Verwandten sind die Steinböcke. Auch sie wohnen hoch oben im Gebirge. Die Schraubenziege erkennst du leicht an ihren Hörnern, die wie ein Korkenzieher gebogen sind. Die Schneeziege aus Nordamerika (siehe Seite 15) ist keine richtige Ziege. Sie gehört wie die Schafe, Gämsen und auch die großen Moschusochsen zu den Ziegenartigen.

Bezoarziege

Schneeziege

Steinbock

Moschusochse

Was wird aus Wolle und Ziegenmilch gemacht?

Die meisten Ziegen werden nicht nur wegen ihres Fleisches, sondern auch wegen der Ziegenmilch gehalten. Aus der Milch werden vor allem verschiedene Sorten Ziegenkäse hergestellt. Menschen, die allergisch auf

Kuhmilch reagieren, vertragen die Ziegenmilch meist besser. Auch die Ziegenwolle wird weiterverarbeitet: Die Angora- und Kaschmirziegen haben besonders feine Wolle. Ihre Wolle ist fettfrei, schön glänzend und leichter als Schafwolle. Daraus werden besonders warme und kuschelige Pullover und Mützen gemacht. Neben der Wolle wird auch das Ziegenleder sehr gerne genutzt, da es dünn, leicht und enorm reißfest ist.

Welche Rassen gibt es?

Weltweit gibt es etwa 300 verschiedene Ziegenrassen. Davon stammen ca. elf Rassen aus Deutschland. Am verbreitetsten sind die Weiße und die Bunte Deutsche Edelziege. Sie können im Jahr bis zu 1.800 Liter Milch liefern. In der Schweiz findest du häufig

Bunte und Weiße
Deutsche Edelziege

die Saanenziege mit weißem Fell oder die Gämsfar-
bige Gebirgsziege. Die Angoraziege stammt aus der
Türkei und wird wegen ihrer feinen Wolle gezüchtet.
Da sie sehr nässeempfindlich ist, wird sie in trockenen
Gegenden auf der ganzen Welt gehalten. Dagegen
ist die Kaschmirziege eine kleine und sehr robuste
Rasse. Ihre Wolle ist die feinste, die es gibt.

Angoraziege

Kaschmir-
ziege

Saanenziege

Die Ziege und der Mensch

Zusammen mit dem Schaf gilt die Ziege als das älteste Haustier. Schon in der Steinzeit, vor ca. 12.000 Jahren, wurden Ziegen eingefangen und als Haustiere gehalten. Sie ließen sich leicht zähmen und lieferten Fleisch, Leder und Milch. Da sie sehr genügsam sind, konnten sie auch in sehr kargen Gegenden gehalten werden. Mit der Zeit wurden unterschiedliche Ziegenrassen gezüchtet, die besonders viel Milch geben, viel Fleisch oder sehr feine Wolle haben. Da Ziegen sehr kräftig sind, wurden sie früher auch vor kleine Wagen gespannt oder sogar zum Pflügen eingesetzt.